W9-DEU-975

La oveja de Pablito

Bilderbok-Elsa Beskow

ING edicions

Una vez, allá en Suecia, vivía un niño pequeño que se llamaba Pablito. Pablito sólo tenía una oveja, a la que cuidaba con esmero.

EB

La oveja creció y creció, lo mismo que Pablito. También el abrigo de la oveja creció más y más cada día y era largo y tupido. No así el vestido de Pablito que a medida que pasaba el tiempo, era más y más pequeño. Un día Pablito pidió a un par de esquiladores que esquilasen toda la lana a su oveja.

Luego llevó la lana a su abuela
y le dijo:
- Hola abuelita, ¿querrías cardar esta
lana para mí?
- Claro que sí, querido mío - respondió
la abuela -, si tú me arrancas las
malas hierbas del huerto.

Así pues, Pablito arrancó las malas hierbas del huerto y su abuela cardó la lana.

EB

Más tarde Pablito fue a su otra abuelita y le preguntó:
- ¡Querida abuelita!, ¿querrías hilar toda esa lana para mí y hacer buenas madejas?
- Veamos... Lo haré encantada - contestó la abuela - y mientras hilo la lana, tú puedes cuidar mis vacas.

Pablito cuidó las vacas de su abuela y, mientras, ella hilaba la lana y hacía madejas.

Con las madejas Pablito fue a ver a su vecino que era pintor y le pidió una pintura para teñirlas.
- ¡Ay Pablito! - rió el pintor -
Tu ingenuidad me divierte. Mis pinturas no sirven para teñir lana. Pero si vas a la tienda y me compras un frasco de trementina que necesito con urgencia, con el dinero que te sobre podrás comprar tinte para tus lanas.

EB

Pablito corrió a la tienda, compró un frasco de trementina para el pintor y, con el cambio que le dieron, pudo comprar un bote de tinte de color azul.

EB

Luego tiñó toda la lana hasta conseguir un azul... muy azul..

EB

Con toda la lana teñida de
azul fue al encuentro de su madre
y le dijo:
- Mamá, ¿podrías tejer esta lana
para mí?
- Lo haré encantada - dijo su madre -
si tú a cambio cuidas un ratito a tu
hermanita.
Pablito cuidó toda la tarde de su
hermana mientras su madre le tejía
toda la lana.

Más tarde Pablito fue a ver al sastre y le dijo:
- Querido señor sastre, ¿puede usted confeccionarme un vestido con toda esta lana que tejió mi madre?
- ¿Eso es lo que quieres? - dijo el sastre - ¡De acuerdo! Lo haré si tú, a cambio, pasas el rastrillo por el forraje, apilas la leña y das de comer a los cerdos.

MODE DE PARIS
EB

Así pues, Pablito pasó el rastrillo por el forraje y dio de comer a los cerdos.

PER OLOFSON
SKRÄDDARE

EB

Luego trajinó toda la leña hasta dentro de la casa y cuando la tuvo apilada, el sastre ya había acabado de coserle el vestido.
Todo esto sucedía un sábado por la tarde..

Al día siguiente, domingo, por la mañana, Pablito se puso su nuevo vestido y fue a ver a su oveja para decirle:

- Gracias, querida oveja, por mi nuevo vestido.

- ¡Be, beeee! - exclamó la oveja.

Y todo aquél que entienda su lenguaje sabrá que, con aquel balido, la oveja expresaba que ella también estaba muy contenta.

© ING EDICIONS
Av. Josep Tarradellas, 118, 1° B
08029 Barcelona
Tel. 93-4195959 - Fax 93-4197705
E-mail: ing@ingedicions.com
pág. web: www.ingedicions.com

1ª edición en sueco 1912 con el titulo
PELLES NYA KLÄDER
Bonnier Carlsen Bokförlag, Estocolm0 2001

Asesora de la colección: ÀURIA G. GALCERÁN
Traducción castellana: IGNASI RODA FÀBREGAS
Corrección: CRISTINA GINER

1ª edición: 2006
ISBN 84-89825-33-5